KB195914

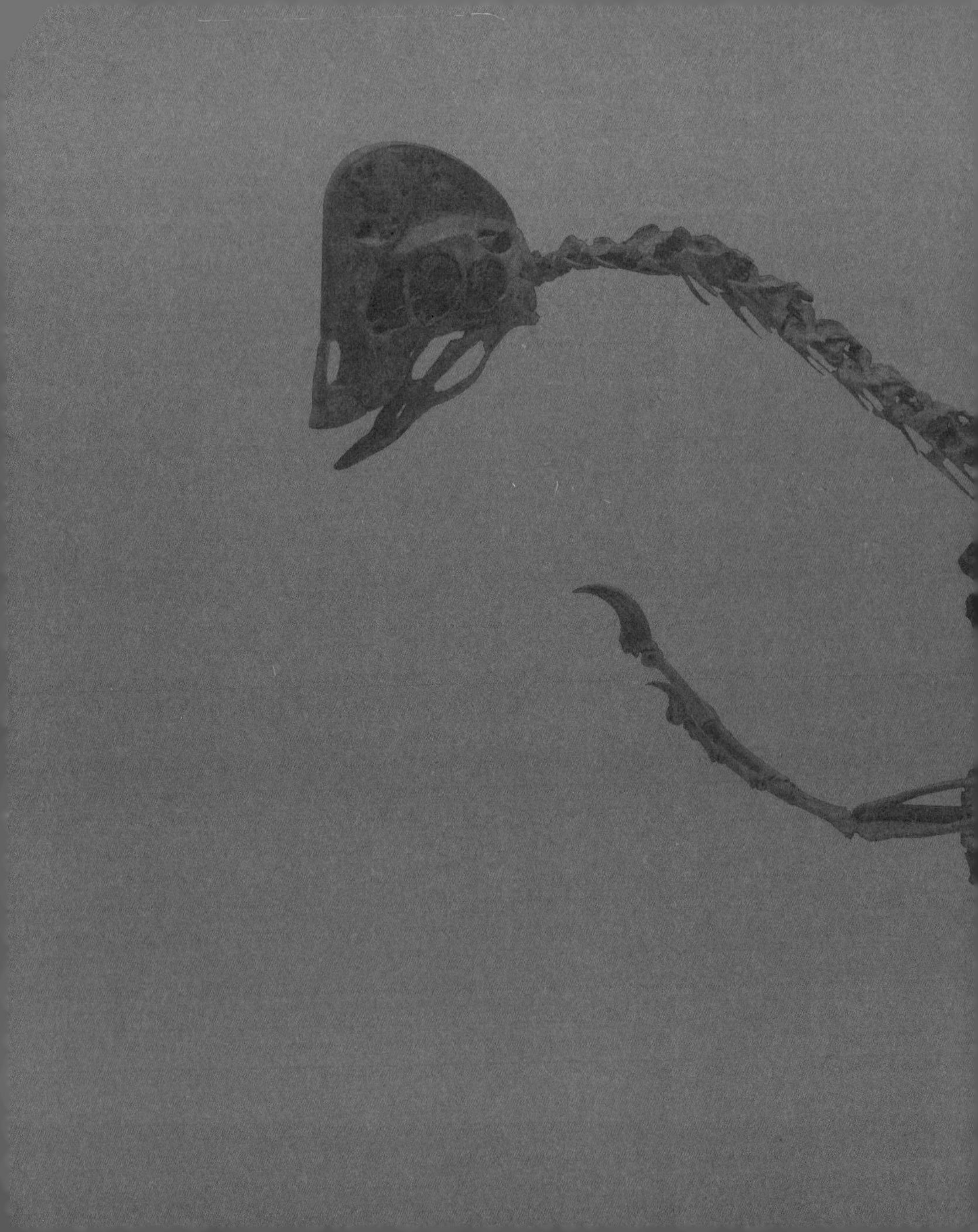

오비랩터

Mokpo Natural History Museum

목포자연사 박물관

MISPRINTED TYPE

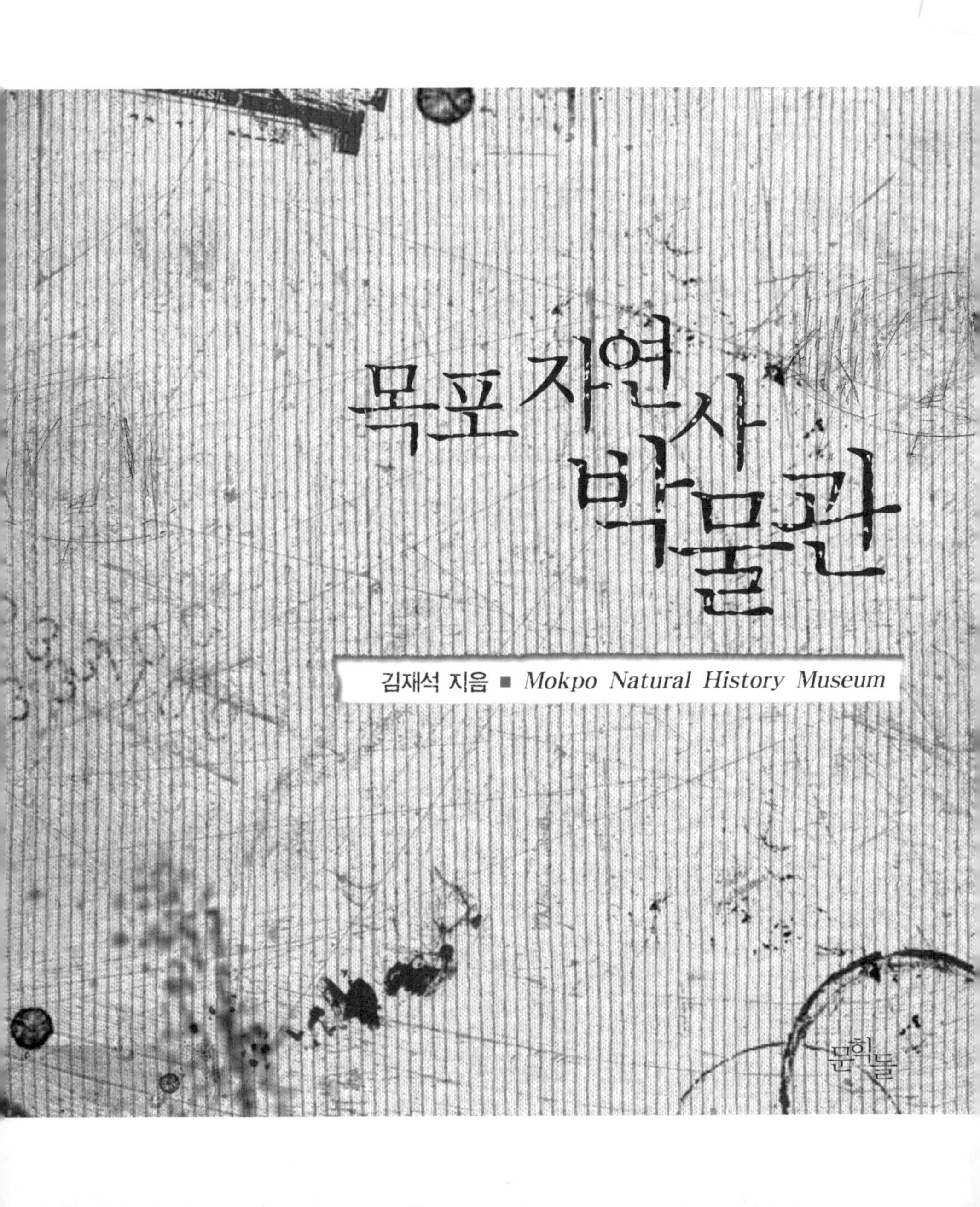

목포자연사
박물관
김재석 지음 ■ Mokpo Natural History Museum
문학들

시인의 말

한가위 긴 연휴 첫날 도요새전을 관람하기 위하여 목포자연사박물관을 방문하였습니다. 전시장에는 많은 새들이 아름다운 자태를 뽐내고 있었습니다. 도요새목에는 희귀한 이름을 가진 새들이 많았습니다. 내 마음의 귓전에 들려오는 새들의 울음소리는 교향악단을 연상케 했습니다. 큰뒷부리도요가 뉴질랜드나 오스트레일리아에서 끼니를 거르면서 10일 동안 10,000km나 되는 거리를 날아온다는 사실에 너무나 놀랐습니다. 나는 그 많은 새들의 눈에 무얼 담아 보내야 할까 생각하며 본관으로 발길을 옮겼습니다.

본관에서 공룡을 비롯한 많은 동물과 식물, 무생물을 만나 그들이 전해 준 이야기를 들었습니다. 그들은 진지하게 과거의 삶에 대하여 내게 이야기를 해 주었습니다. 나의 지식이 보잘 것 없어 그들이 하는 말을 못 알아들은 것이 한두 가지가 아니었습니다. 나는 아는 척 고개만 끄떡일 뿐이었습니다. 노트를 꺼내 그들의 말을 받아쓰느라 그들에게 하고 싶은 말을 하지 못했습니다. 여러 시간을 그들의 이야기를 듣고 돌아왔음에도 불구하고 마음 한 구석이 여전히 비어 있었습니다.

다음 날 다시 자연사박물관을 찾아갔습니다. 전날 제대로 나누지 못한 이야기를 나누고 싶었기 때문이었습니다. 간혹 아이들이 밀물처럼 왔다가 썰물처럼 빠져나가기도 했습니다. 종이를 꺼내 동식물이 전해 주는 말을 받아 적는 아이들도 있었지만 금방 내 시야에서 사라졌습니다. 박물관에 안치된 동식물과 전날 다하지 못한 이야기들을 서로 나누었지만 그들의 눈빛을 내 눈빛이 다 감당하지 못했습니다.

그 뒤 몇 차례 더 자연사박물관을 찾아갔습니다. 여느 때와 마찬가지로 자연사박물관을 찾는 이들이 오래 이야기를 나누지 못하고 나갔습니다. 박물관을 방문한 아이들도 어른들도 할 일이 많기 때문이라는 생각이 들었습니다. 나 역시 자연사박물관의 동식물을 영원히 내 눈빛에 담아둘 수 없다는 것을 알았습니다. 그래서 그들을 내 눈빛에 영원히 붙들어두기 위하여 '시'와 '자연사박물관'을 접목시킨 것입니다.

이 시집을 읽는 독자들은 자연사박물관에서 만난 동식물을 비롯한 무생물을 자신이 원하는 때는 어느 때든 다시 만날 수 있을 것입니다. 더욱 멸종 위기에 처한 동식물의 눈빛에서 지구온난화로 인한 불안한 미래에 대처하는데 조금이라도 도움이 되는 삶을 살아야겠다는 생각을 갖게 될 것입니다. 원인으로부터 결과에 매우 긴 시간이 걸렸던 과거와는 달리 미래는 원인에 대한 결과를 기다리는데 많은 시간이 걸리지 않을 것입니다. 진실은 이처럼 사람의 마음을 불편하게 하기도 합니다.

마지막으로 내게 시적 상상력의 대상이 되어 준 자연사박물관에 안치된 동식물과 무생물 그리고 김엔다 목포자연사박물관 관장님을 비롯한 학예연구사님들께 감사드립니다.

김재석

차례

나비

자연사박물관에 안치된 동물과 식물들은

자연사한 것일까?

중앙홀

디플로도쿠스

중앙홀

자연사박물관의
박제된 시간의 문을 밀고 들어서니
중생대가 얼굴을 내민다

디플로도쿠스를 공격하는 알로사우루스,
트리케라톱스를 위협하는 드로마에오사우루스,
동족을 잡아먹는 엘로피시스와
능숙한 사냥꾼인 헤레라사우루스,
바다의 무법자인 타일로사우루스, 아르케론, 플레티카퍼스
그리고 암컷 익룡에게 구애하는 수컷 익룡이
하늘과 땅을 수놓고 있다

거대한 몸뚱이들이 군림하는
중생대

모사사우르스

트리케라톱스

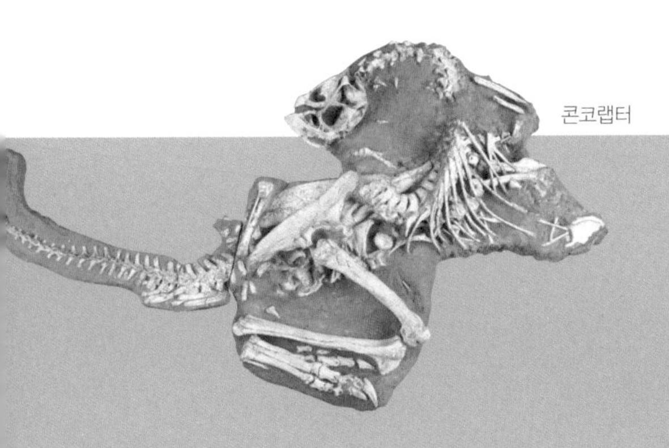
콘코랩터

하늘과 땅을 쿵쿵 뒤흔드는
발걸음

쫓고 쫓기는 몸뚱이들의
울부짖음

사랑도 미움도 웅장한
중생대

마이너스 카드와 핸드폰으로 무장한
소박한 몸뚱이의 나는
중생대의 굉음을
더 이상 견디지 못하고
박제된 시간의 문을 엉거주춤 밀고 나온다

트라이아이스기 파충류

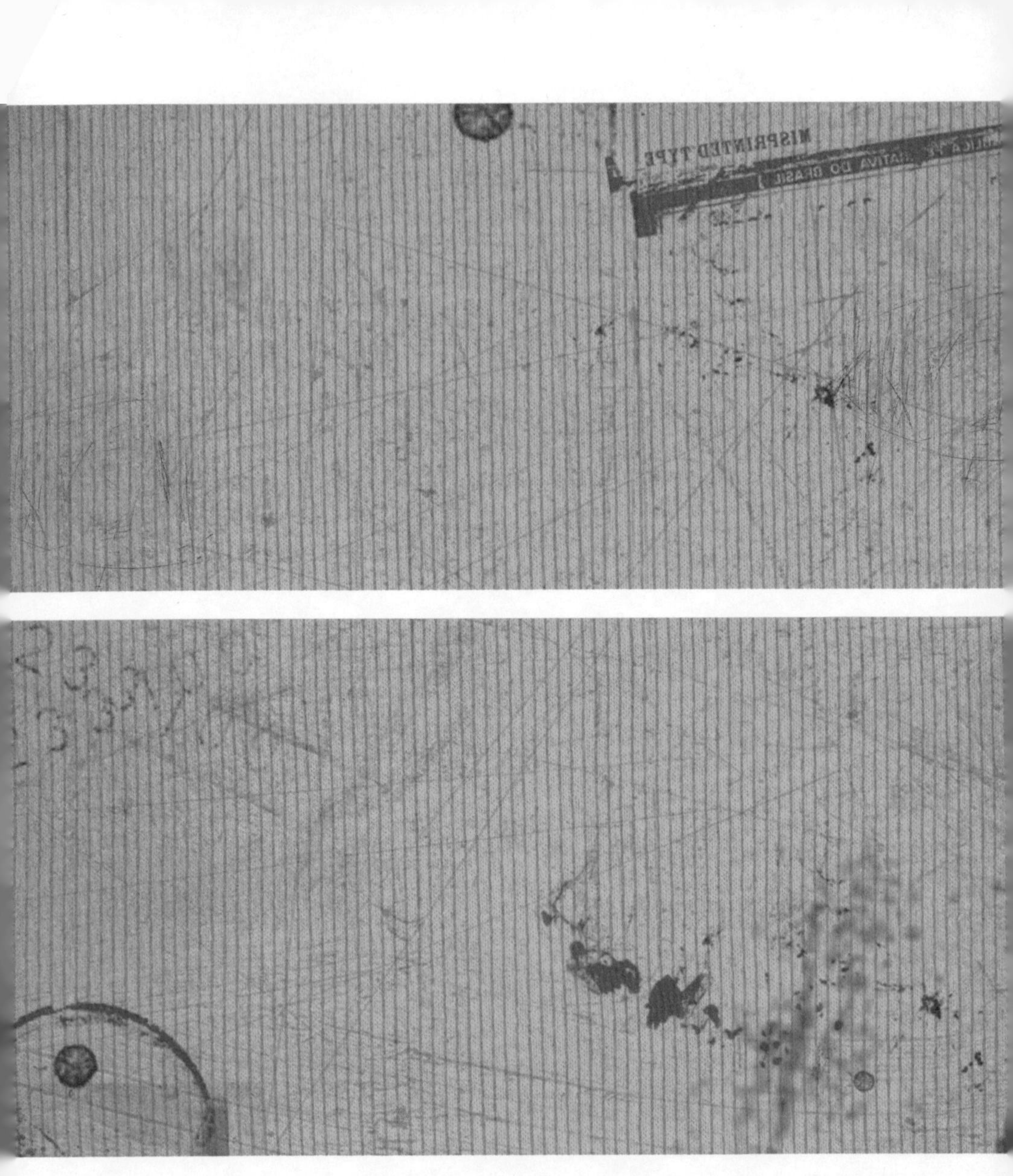
MISPRINTED TYPE

지질관

지질관

지구 46억 년의 역사를 단숨에 읽겠다는 것은
지나친 욕심이지

오래된 미래는
다가올 과거

한때 싱싱했던 푸른 복숭아인
지구

한 조각 잘라내니
모습을 드러내는
지각,
맨틀,
외핵,
내핵

지구 내부 모형

화석 복제본 (아파토사우르스 대퇴부 화석)

우주의 미아인 운석의
정착이 낳은
악마의 협곡이라 불리는
캐년 디아블로

땅 속에 매장된 나무가
원래 형태와 구조를 보존한 채로
유기물질이 광물질로 치환되어 부활한
규화목

고생대 말 판게아에서
중생대 트라이아스기 말을 거쳐
중생대 백악기 말, 그리고 현재의 대륙의 이동은
신들의 모자이크 놀이

나이를 귀신 같이 알아내는
방사성 원소 연대 측정법이 아니면
세상에 얼굴도 못 내밀었을
절대연대

고체로 일정한 화학 성분과
결정 구조의 물질인
고집이 황소보다 센
광물

색, 비중, 광택, 굳기
분류하고 구분할 게 너무 많은
광물은 사육되지 않지

자외선을 흡수하여 눈에 보일 수 있는
긴 파장을 다시 방출하여
자신의 색깔을 드러내는
형광광물

형광광물은
날지 못하는 반딧불이

자신의 운명을 스스로 결정하지 못하는
결정(結晶)은 광물의 구성원소나 이온들의
규칙적인 배열에 의해
독특한 외형을 이루며

휘안석

모양이 같은 것은 없지

결정의 외형은
대칭형상을 보여 주며
생김새에 따라 육정계로 분류되지

– 등축정계, 육방정계, 단사정계, 사방정계, 삼사정계, 정방정계

주사위 놀이에 적합한
등축정계

쌍방향 팽이인
육방정계

고집불통인 광물은 몸에 간직한
음이온의 성질에 따라
규산염광물과 비규산염광물로 분류되지

지각에 존재하는 광물의 92%를 차지하는
규산염광물은 산소와 수소 없이는
존재하지 못하는데,

쿤자이트

조암광물 대부분이 규산염광물이지

비규산염광물은
산소 그리고 규소와는 남남이지

지구가
규산염행성이라 불리는 것은
규산염광물이 절대 우위를 차지하기 때문이지

광물들이 똘똘 뭉쳐 담합하면
암석

암석은
출생 방법에 따라
화성암, 퇴적암, 변성암

암석의 조직원은
조암광물

화강암을 이루는
다들 얼굴이 반반한

석영, 장석, 흑운모가
조암광물이지

선불리 접근했다가는
우세를 살
만만치 않은 광물의 세계여!

지질시대로부터 보존된 동식물의 잔유물이나 흔적으로
동식물의 번성과 멸종을 보여주는
안내자로서의 공로가 막대한
화석

과거라는 자물통을 여는 열쇠인 화석은
지질시대를 알려 주는 '표준화석' 과
생물이 살았던 환경을 알려 주는
'시상화석' 으로 나눠지지

광합성작용을 했던 원핵동물로서
30억 년 전에 처음 얼굴을 내민 남조류인
스트로마톨라이트

덴부라이트

선캄브리아 후기,
최초의 다세포 생명체임을 자랑하는
에디아카라 화석

고생대 페름기 말에 약속한 듯 모두 사라진
눈은 최초로 진화한 동물 눈 중 하나로
수많은 방해석 광물결정체 렌즈로 이루어졌으며
초승달 모양인 두 개의 눈으로
바다 밑에서 전방위 시야를 확보할 수 있는
삼엽충 화석

바다의 덩치 작은 사냥꾼
바다 전갈류인
두 개의 솟 다리를 이용해 작은 동물을 잡아먹는
유립테루스

바다의 꽃 해백합류는
식물이 아닌 동물로서
길고 유연한 줄기를 해저에 고착시켰지

중생대를 대표하는 생물로서

빈 방을 물과 기체로 채우고 이 방을 관통하는
가느다란 관을 통해 물을 퍼내고
그 대신 기체로 방을 채움으로써 떠다닌
나의 발길을 한참 붙드는
암모나이트

중생대 해양 파충류인 이크티오사우루스 화석으로
임신부인
스테놉테리기우스

암모나이트를 물어뜯은
백악기 바다의 무법자
모사사우루스

화석들은
육체만 갇힌 것일까

영혼도
함께 갇힌 것을
우리가 보지 못하는 걸까

역대 바다의 지배자들(던클레오스테우스-모사사우르스-이빨고래)

지구의

역사책인 지층을

건성건성 넘겨도 좋은건지

화석에 꼭꼭 숨어버린 시간을 찾느라

지친 나에게

얼굴을 들이미는 낯선 포유류

– 검치호, 코엘로돈타, 브론토테리움, 털보매머드, 동굴곰

날카로운 송곳니를 죽어서도 자랑하는

검치호

묵묵부답인

얼어붙은 평원을 누빈

머리 위에 지방을 저장해 둔

털보매머드

매머드

한때 그리도 빛나던 영광이

지금은 사라진 몇몇 포유류여!

중생대를 지배한 육상 파충류로 안구 뒤에
두 쌍의 구멍이 발달한
이궁형 머리뼈를 가진
무서울 정도로 큰 도마뱀인
공룡

공룡알

귀중품 보관함인 골반을 이루는
장골, 좌골, 치골 세 가지 뼈의 구조에 따라
용반목과 조반목 두 종류로 분류되지

한때 알도둑으로 누명을 쓴
모성애가 강한 오비랩터

대형 검정 찐빵처럼 보이는
공룡의 알

공룡시대 하늘을 지배한
람포린쿠스류와 테로닥틸루스
두 종으로 나눠 볼 수 있는
익룡

오비랩터

시조새 다음으로 오래된 새인
동시에 이빨이 없는 부리를 가진
논어를 한 번도 가르친 적 없는
공자새,
콘푸시우소르니스

이카로스의 부러움을 산
날개는
깃, 깃가지, 깃대, 날개깃으로
이루어졌지

첫 번째 발톱이
나머지 발톱들을 바라보고 있는
이빨을 지닌
시조새

새는 공룡의 후손일까,
새는 공룡의 후손이 아닐까

갈 길이 먼 나는
정답을 확인하지 못하고 서둘러 나온다

지질관

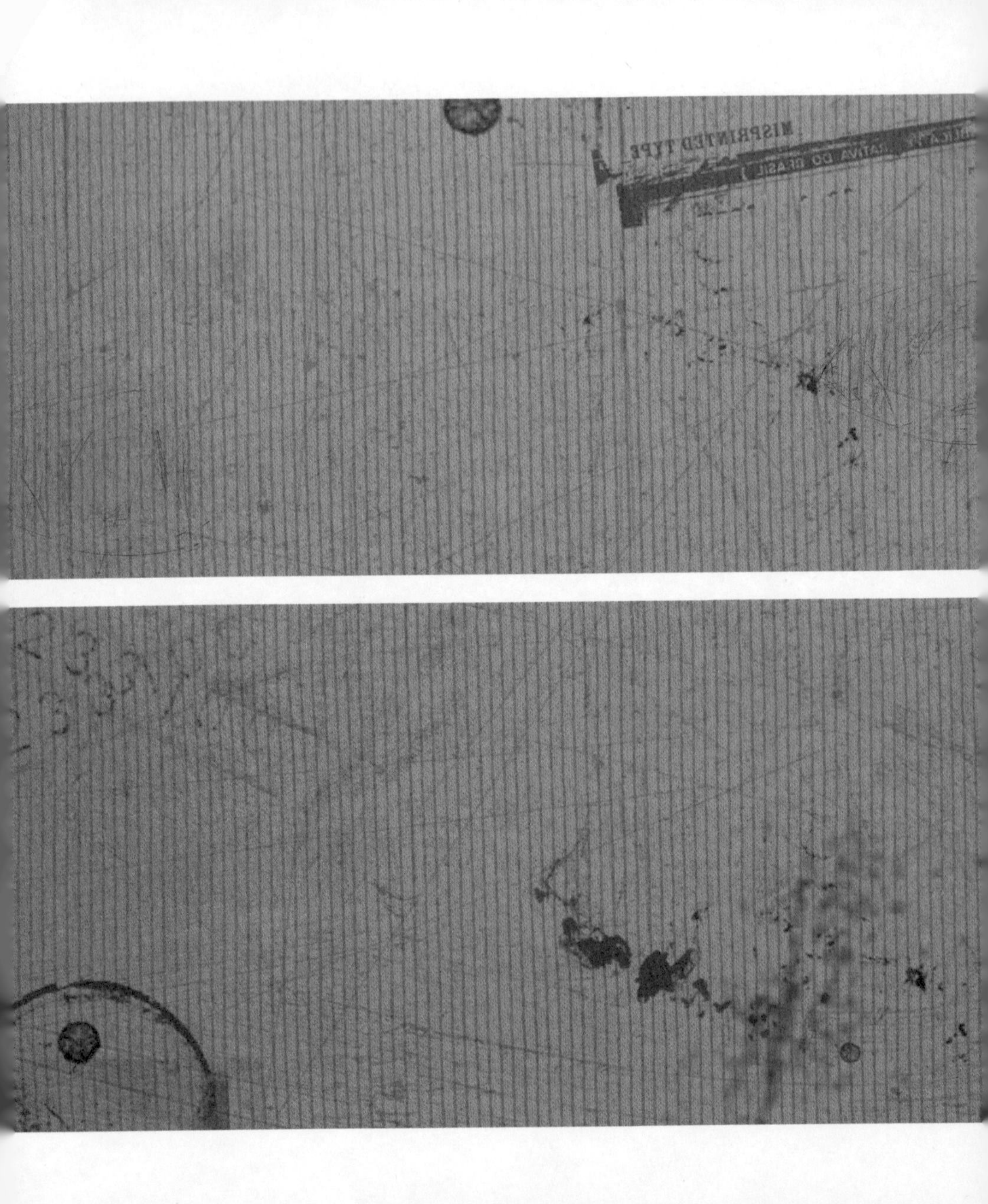
MISPRINTED TYPE
NATIVA DO BRASIL

육상생명관 1

육상생명관 1

양서류, 파충류, 포유류, 조류 낯익은 모습들이
나의 등장에 별 관심 없이
자기들이 하던 일에 열중이다

어려서는 아가미로 숨을 쉬고 물에서 지내며
성체가 되면 육지에서 허파로 숨을 쉬는
물과 육지에 양다리를 걸친
무당개구리, 두꺼비, 청개구리, 도롱뇽은
양서류

알에서 올챙이,
올챙이에서 개구리의 변태 과정을 거치는 동안
사연도 많고, 생각도 많았을
개구리

개구리 올챙이 적 시절 모른다더니,
우물 안의 개구리,
비오는 날이면 어머니 무덤 앞에서 슬피 우는

불효자식 개구리,
어쩌다 오명의 대명사가 됐지

관람객들이 보는 앞에서
사타구니를 끌어안고
짝짓기를 하는
무당개구리

짝짓기한 채로
겨울잠에 든 물두꺼비

다들
남세스럽지도 않은지

양서류와 온혈동물의 중간에 위치하며
몸이 비늘이나 판으로 덮인
공기호흡과 체내수정을 하는
뱀, 도마뱀, 악어는
파충류

두꺼비

이브를 부추겨
아담에게 죄를 짓게 한 뱀의 후손들
유혈목이, 누룩뱀, 살모사

– 알을 낳는 다른 뱀들과 달리
새끼를 낳는,
존속살인의 누명을 쓴
살모사

뱀이 허물을 벗는 것은
일석이조,
몸이 성장하는 역할도 하지만
몸에 붙어 있는 기생충을 없애는 역할도 하지

뱀이 혀를 날름거리는 것은
두 갈래로 갈라진 혀가
공기 중에 있는 화학물질을 입천장에 있는
야콥슨 기관에 전달하느라 그러지

악어의 눈물은
감당하지 못할 먹이를 처먹느라 힘들어서지

만만한 양서류와
만만치 않은 파충류여!

공룡 없는 세상에서 한때 큰소리친
새끼를 젖 먹여 키우며
털과 지방층을 통해 몸의 체온을 유지하는
온혈동물인
포유류

흰꼬리사슴의 등에 올라탄 푸마는
눈앞의 먹이에 정신이 없고
눈 위를 돌아다니던 털 많은
사향소는 먼 추억을 되새김질하고 있어

형태와 기능은 다르지만
같은 해부학적 기본 구조를 가지고 있는
본적이 같은
상동기관

악어

육상생명관 1

– 사람의 팔, 개의 앞다리, 새의 날개, 고래의 지느러미

외형이나 기능은 비슷하지만
발생학적 기원이 다른 기관으로
현주소가 같은
상사기관

– 새의 날개, 곤충의 날개

새의 날개는 앞다리가
곤충의 날개는 표피가 변한 것이지

다들
하느님 보시기에 좋은 쪽으로 변했겠지

파충류 조상의 비늘에서 진화한
사람의 머리카락이나 손톱과 같은
케라틴 성분으로 이루어진 깃털로
하늘에서 바람을 다스리는
조류들

흰꼬리독수리

큰고니

뇌보다 큰 안구를 지닌
제3의 눈꺼풀인 순막이라는 막을 깜박여
눈을 깜박이는 동안에도 볼 수 있는
빗속을 날아도 다치지 않는
공중곡예사인
새의 눈

계절에 상관없이
한자리에 모델로 나선 철새와 텃새들
홍머리오리, 검은목논병아리, 청둥오리, 비오리, 알락해오라기
쇠물닭, 청호반새, 물총새, 노랑할미새, 호랑지빠귀, 산솔새
까치, 딱새, 노랑턱멧새, 큰오색딱따구리, 박새, 청딱따구리, 가마우지

아무리 쏘아도 탄알이 바닥나지 않는
딱따구리

호버링과 펠릿을 하는
물총새

황조롱이

다양한 날개

육상생명관 1

세상에 나오기 전부터 벼슬을 한

후투티

하늘은 잘 나르나

지상에서는 잘 걷지 못해

어부들의 조롱거리인

신천옹, 앨버트로스는 어디에 있을까

오리걸음,

가재걸음

게걸음

동물이 걷는 모양이 다르듯

새들도 나는 모양이 다르지

하늘에서 바람으로 곡예를 하는 동안

날개를 전혀 접지 않는 새가 있는가 하면

직박구리란 새는

날개를 접었다 폈다

초라니짓하지

후투티

새들의 이름에는 쇠백로, 쇠기러기처럼
쇠씨 성을 가진 새들이 있지

쇠씨 성을 가진 새들은
조상이 쇠붙이에서 태어난 것이 아니라
같은 부류의 새들 중
덩치가 제일 작은 놈들에게 붙여지지

붉은머리오목눈이의 알과 새끼를
둥지 밖으로 몰아내고
탁란하는
자신이 잔인한지도 모르는
뻐꾸기

산새와 달리 포란을 하지 않는,
적이 나타나면
알을 보호하기 위하여
아픈 척 의태행위로 적을 유인하는
물새

딱새

산새는 물새를,
물새는 산새를
시기하거나 모함하지 않지

오기 창창한 송곳니에
장의 길이가 짧고 맹장이 퇴화한
육식동물

순한 어금니와 앞니에
장의 길이가 길고
맹장이 발달한
초식동물

– 초식동물인 누(gnu)가 아프리카를 먹여 살리고
그 누를 풀이 다스리지

최초의 인류인 오스트랄로피테쿠스
두개골에서 걸어 나와
나의 손을 잡는
몸뚱이가 작은 루시

수달

오스트랄로피테쿠스는
호모하빌리스와 호모에렉투스로 진화했지

호모에렉투스는
돌로 만든 도구를 사용하고
장물(臟物)인 불을 이용하였지

나의 가장 가까운 조상인 크로마뇽인
호모사피엔스를
여기서 뵐 줄이야

한반도에서
위기에 처한 만만한 포유류

–노루, 수달, 멧토끼, 고라니, 너구리, 삵, 반달가슴곰, 족제비, 오소리

덫과 올가미와 한 몸이 된 짐승들의
피 묻은 비명

긴장한 나는
뒷걸음으로 나와 계단을 오른다

반달가슴곰

부리와
육상동물의

육상동물 두개골 비교

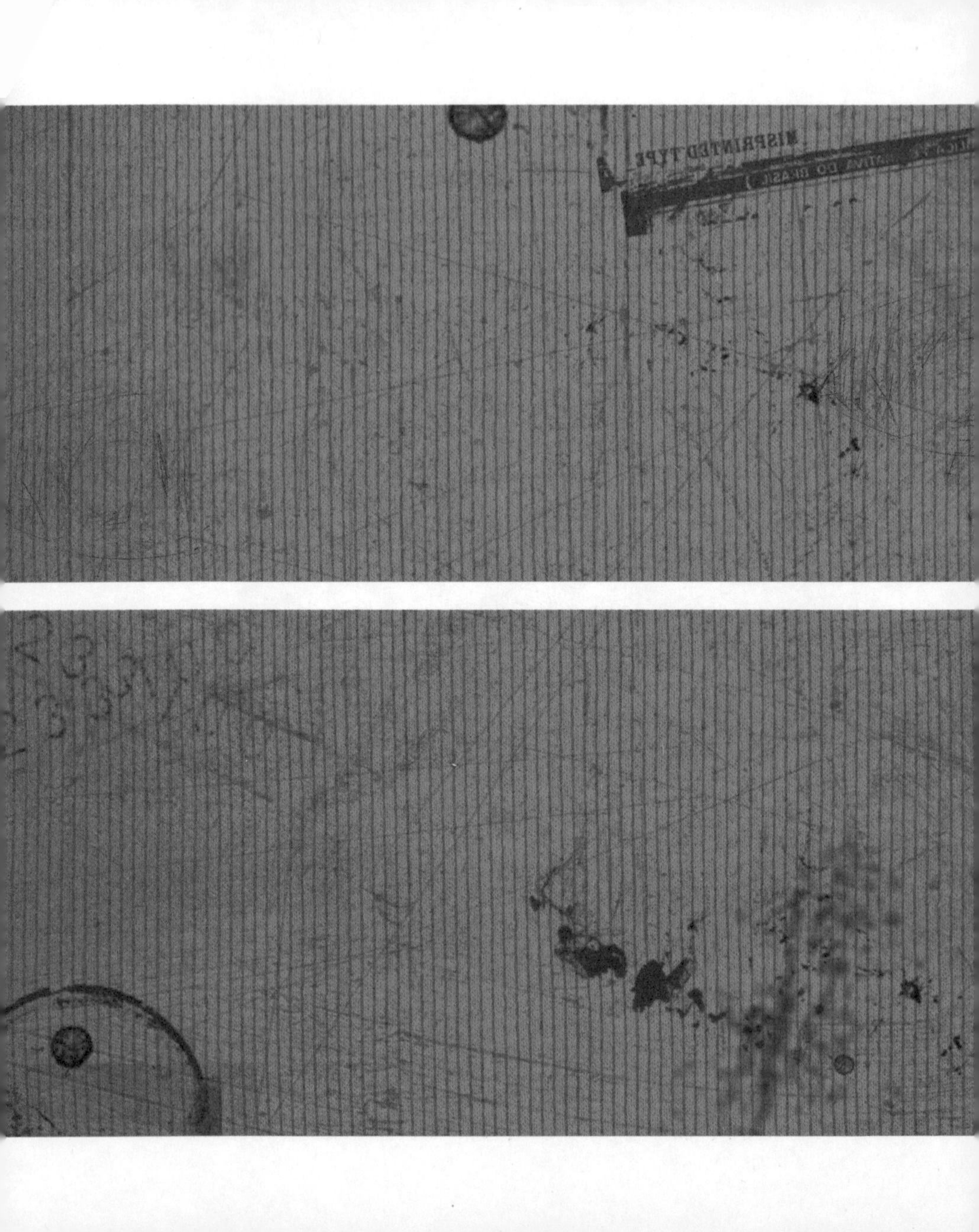
MISPRINTED TYPE

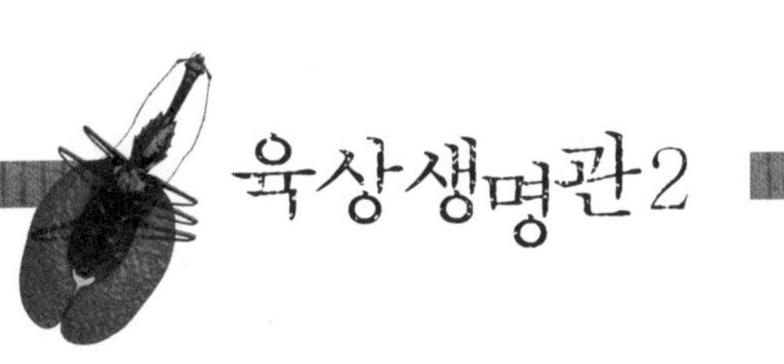

육상생명관2

육상생명관 2

나도 모르게
생물책을 펼친 수험생으로 돌아가다니

종–속–과–목–강–문–계,
동식물의 분류 단계

사람은
동물계, 척추동물문, 표류강, 영장목, 사람과, 사람속, 사람종

한번 들어가면
빠져나오지 못하는 미궁처럼
복잡한 종속과목강문계여!

절지동물의
3개의 아문은
삼총사인
삼엽충류, 협각류, 대악류

삼엽충

석송류 원시소철류

우화를 생각하면

옆구리가 간지러운

곤충들의

지질시대별 변화

– 무시류, 고시류, 외시류, 내시류

처음 만난

전세계 생물지리구

– 구북구, 동양구, 아프리카구, 마다카스카르구,
  오스트레일리아구, 신북구, 신열대구

우리나라는

구북구의 만주아구

생물에게 작명을 해 주고 특징을 기재하는

칼폰 린네의 이명법

이땅의 곤충들
Insects on the Earth

육상생명관 2

– 속명, 종명, 명명자

사람은
Homo sapiens Linné

다 거명하기에 숨이 가쁜
곤충의 목

– 나비목, 벌목, 파리목, 노린재목, 매미목, 메뚜기목,
총채벌레목, 잠자리목, 뿔잠자리목, 바퀴목, 톡토기목,
새털이목, 하루살이목, 다듬이벌레목, 흰개미목, 벼룩목,
대벌레목, 사마귀목, 강도래목, 집게벌레목, 이목,
좀붙이목, 낫발이목, 밑들이목, 좀목, 부채벌레목,
민벌레목, 귀뚜라미붙이목

마이크로코스모스에 출연할 자격이 있는
입을 벌어지게 하는
곤충들의 옷차림 좀 봐!

땅강아지는
메뚜기목

참매미

위장의 명수인 나뭇잎벌레는
사마귀목

대벌레는
대벌레목

뿔잠자리목은
무변태, 불완전변태, 완전변태 중
어떤 성인식을 치를까

정신은
어떠한 변태를 거쳐야 가장 성숙할까

가슴 옆 외골격이 늘어난 것으로
몸 내부에 직접 붙어 있는 근육이 없고
가슴에 있는 근육으로 날개를 움직이는
두 개의 근육의 이완과 수축으로 하늘을 나는
곤충

일사불란하게 나비 모양으로 대형을 갖춘
회령부전나비 군단

곤충의 날개

육상생명관 2

저 가녀린 날개에
허리케인이 내장되어 있다니

집단을 위하여
목숨까지도 바치는
반배수성 생물의 유전양식을 지닌
사회성 곤충

– 벌, 개미

군체 내 개체들에게 경고나 먹이로의 모임,
동료나 적의 구별 등
다양한 활동을 유지하도록 작동하는
화학적 통신수단인
페로몬

동료들에게 밀원의 위치를 알려 주는
꿀벌의 춤

나무의 수액에 생매장 당한
호박 속의 곤충

유용식물 코너

곤충의 색 (몬드리안의 작품을 모태 삼아 곤충을 배열)

– 개미, 딱정벌레류, 나방, 흰개미, 말벌, 파리류

석탄퇴적층이나
입자가 아주 가는 퇴적층에서
외부의 방해 없이 무산소 상태로 생매장 당한
곤충

– 참꼬리하루살이류, 뿔잠자리류, 물땡땡이류, 물자라류, 약대벌레류

무덤이 화려한 곤충들의
붙박인 영혼을 생각하다가
'차가운 추상' 의 몬드리안을 만날 줄이야

나비의 색채와 무늬는
날개에 있는 비늘가루에 의해 이루어지지

화학물질에 의한 색소색,
날개의 비늘가루의
물리적 성질에 의하여 나타나는 구조색,
이 두 가지의 조합에 의한
복합 색에 의하여 멋진 색깔을 보여주지

누가
작명을 하였을까

– 물자라, 장구애비, 게아제비, 송장헤엄치게,
장수풍뎅이, 물방개, 톱사슴벌레, 물땡땡이,
넓적사슴벌레, 검정물방개, 애사슴벌레, 왕잠자리

등에다 알을 업고 다니는
애처가 물자라

결코 순둥이가 아닌
물방개

내 마음의 방죽에서 지금도 날아다니는
왕잠자리

나는
나의 생김새에 알맞은 이름을 가졌을까

– 굵은줄나비, 홍점알락나비, 이른봄알락나비,
  산제비나비, 푸른큰수리팔랑나비, 제비나비,
  부처나비, 흑백알락나비, 암먹부전나비들의 우화

알 – 애벌레 – 번데기 – 성충

나비들의 사생활을 훔쳐보는
낯짝이 두꺼운 사람들이여!

주사전자현미경으로 관찰되는
감춰진 세상

– 개벼룩, 모기, 가시거미, 그라나리아바구미,
  모기머리, 깔따구, 애벌레머리, 초파리부절과 발톱,
  혹응애, 개미머리, 나비주둥이, 먼지응애, 수시렁이,
  멧모기애벌레, 하루살이애벌레, 체체파리머리,
  콩바구미, 담색물잠자리머리, 깡충거미머리

덩치는 눈꼽만 한 것들이
얼굴은 왜 그리 무섭게 생겼는지

물장군

육상생명관 2

'초록은 동색' 이라도

타고난 성질이 다 같은 것은 아니지

– 선태식물, 양치식물, 겉씨식물, 속씨식물

해부학 교실의

나무

잎에서 만들어진 녹말의 저장고인

뿌리

잎과 뿌리를 연결하는 기관인

줄기

육지로 진출한 식물이 극복해야 할

건조한 육상 환경에서의 생식기관인

꽃

줄기

육상생명관 2

광합성을 통해 포도당을 합성하고
호흡과 증산작용도 하는
중요한 기관인
잎

종자 산포는
동물의 변, 바람의 신, 짐승의 털이 맡지

동물의 변에서 분례로 태어났어도
한 세상 이룬
개똥참외,
산벚꽃을 생각해 봐!

내 마음의 책갈피인
나뭇잎

상수리나무, 굴참나무, 졸참나무, 갈참나무, 떡갈나무는
낙엽수

누가 고참이고,
누가 졸병일까

우리나라의 특산식물

도토리는

졸참나무가 부모님

종가시나무, 참가시나무, 가시나무는

상록수

이름만 들으면

가시관을 쓴 예수님 생각하겠지

우리들 가슴을 설레게 하는

봄처녀들

– 앵초, 중의무릇, 복수초, 얼레지, 꿩의다리아재비, 깽깽이풀,
새우난초, 꿩의바람꽃, 염주괴불주머니, 동의나물

우리들의 살이 되고 피가 되고 약이 되고

한 마디로 영양가가 있는

유용식물

– 잇꽃, 쪽, 치자나무, 해당화, 인삼, 작약, 산수유, 지황,
복분자딸기, 질경이, 감나무, 오미자, 닥나무, 감자, 사과나무

올 누드인 인삼은

두릅나무과

변강쇠인 복분자딸기는

장미과

백설공주의 계모인 왕비에게

자신도 모르게 이용을 당한

윤판나물

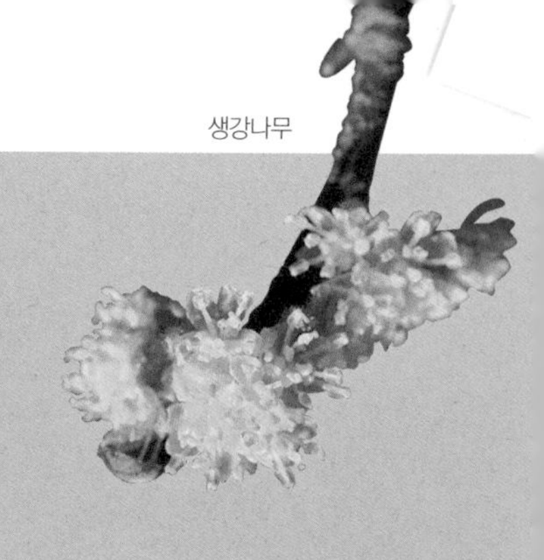

발칸반도가 원산지인 사과나무도
장미과

비운의 왕비 마리 앙투아네트에게
머리에 꽂을 꽃을 주었던 감자는
가지과

눈 속에서도 붉은 눈을 뜨는 산수유는
층층나무과

내가 둥지를 튼 이 세상은
알아야 할 것이
너무 많아!

목숨이 다들 위태로운 숲속의
생물

위험에 처한 숲속 생물

– 장수하늘소, 두점박이사슴벌레, 수염풍뎅이, 상제나비,

산굴뚝나비, 꼬마잠자리, 고려집게벌레, 닻무늬길앞잡이,

물장군, 주홍길앞잡이, 멋조롱박딱정벌레, 소똥구리,

비단벌레, 울도하늘소, 큰자색호랑꽃무늬, 깊은산부전나비,

쌍꼬리부전나비, 왕은점표범나비, 붉은점모시나비

이산화탄소와 메탄을 배설하는

문명

아토피를 앓는

지구

두 얼굴의

오존

지구 온난화로

위태롭지 않은 생이 어디 있을까

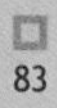

장수풍뎅이

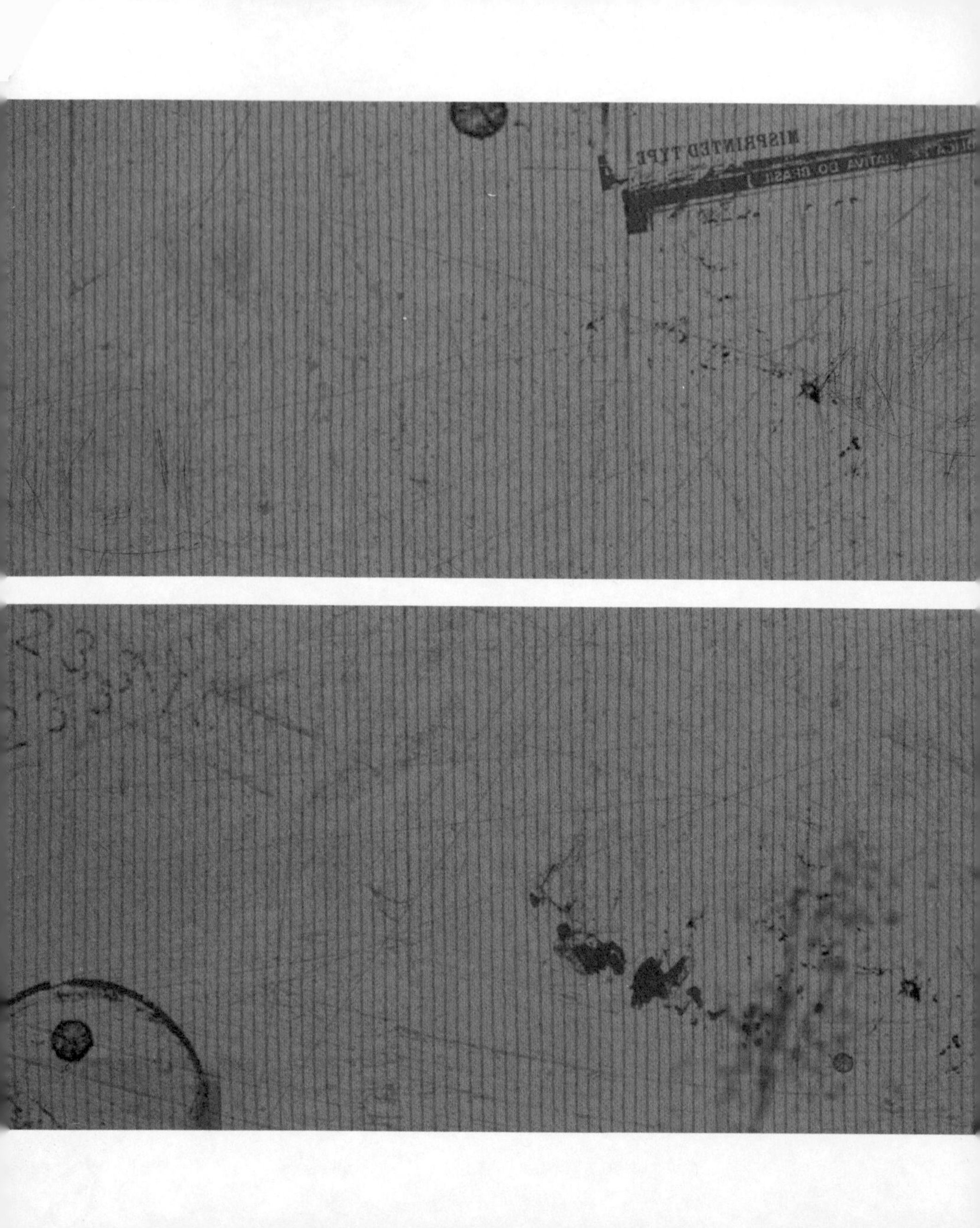

수중생명관

수중생명관

바다 속 6억 년의 시간을
구명조끼도, 잠수복도 없이 유영을 한다

생긴 건 달라도
다 한 식구이며
등뼈와 뇌를 보호하는 두개가 없는
무척추 동물들

– 해면동물, 자포동물, 선형동물, 의충동물, 편형동물, 완족동물,
환형동물, 연체동물, 절지동물, 극피동물

내게 적의 없는 무척추동물들이
난 왜 혐오스러울까

썰물이면 모습이 보이고
밀물이면 모습을 감추는 조간대에 자리 잡은
안쓰러운 생물들

– 좁살무늬총알고둥, 조무래기따개비, 갈고둥
대수리, 참갯지렁이, 눈알고둥
검정꽃해변말미잘, 망둥어, 진주담치, 주름송곳고둥

내가
조간대의 생물이라면
상부, 중부, 하부 어디 소속일까

태양으로부터의 사랑의 빛을
얼마나 받아들이느냐에
몸의 색이 다른
녹조류,
갈조류,
홍조류

– 불등풀가사리, 애기우뭇가사리, 바위수염,
구멍판가래, 지충이, 톳, 진두발
작은구슬산호말, 개서실, 참보라색우무, 모자반류

수중생명관

솔배감펭

톳을 제외하고는
단 한 번도 얼굴을 마주친 적이 없는
해조류여!

바다의 방랑자인
흑등고래

'바다의 분수대' 인
고래의 진화,
암블러케투스, 바실로사우루스, 향유고래

이웃사촌인
해양포유류들의 두개골 비교,
고래, 유공, 물범, 매너티, 일각돌고래

물에서 뛰어오르면서
공중 곡예를 하는 스피너돌고래와
에이허브 선장의 한 쪽 다리를 앗아간
백경은 어디 있지

신생대 바다 속의 가장 강력한 포식자인
고래도 삼킨 메갈로돈

아주 작은 동물 플랑크톤을 먹고 사는
'만타 레이' 라고도 불리는
쥐가오리

악어사냥꾼 스티븐 어윈씨는
쥐가오리가 아닌
노랑가오리에게 목숨을 내주었지

바다교실에서 어류의 진화에 대해 강의를 듣는
물고기들

– 돌돔, 감성돔, 참치, 방어, 삼치, 옥돔, 민어, 꽃돔,
넘치, 수조기, 부세, 제비활치, 청돔, 목탁가오리,
달고기, 임면수어, 노랑벤자리, 물개복치

판피어류, 무악어류, 연골어류, 경골어류
어류들의 족보

방어

류의 진화
Evolution of Fishes

수중생물관

강의보다 먹이에 관심이 있는
목탁가오리

자신의 몸값에 자신도 놀라는
민어

자신이 뼈대 있는 자손이라는 것에
자부심을 갖는 돌돔

내가 허리에 차고 싶은
장검인 갈치는 어디에서 한눈팔고 있을까

낚싯대를 담그고 싶은
수중 디오라마

죠스로 악명은 높아도
부레가 없어
일생을 지느러미를 움직여야 하는
상어

환도상어

– 모래상어, 청새리상어, 환도상어, 귀상어, 두툽상어,
곱상어, 칠성상어, 백상아리, 악상어, 까치상어,
빨판상어, 철갑상어, 얼룩상어, 전자리상어

빨판상어는
바다의 무임승차객

이가 없는 '바다의 종이호랑이'
철갑상어

바다 밑에서 좀 더 아름다운 세상을 꿈꾸다가
바다의 포식자들에 쫓겨 나간다

수중생태 디오라마

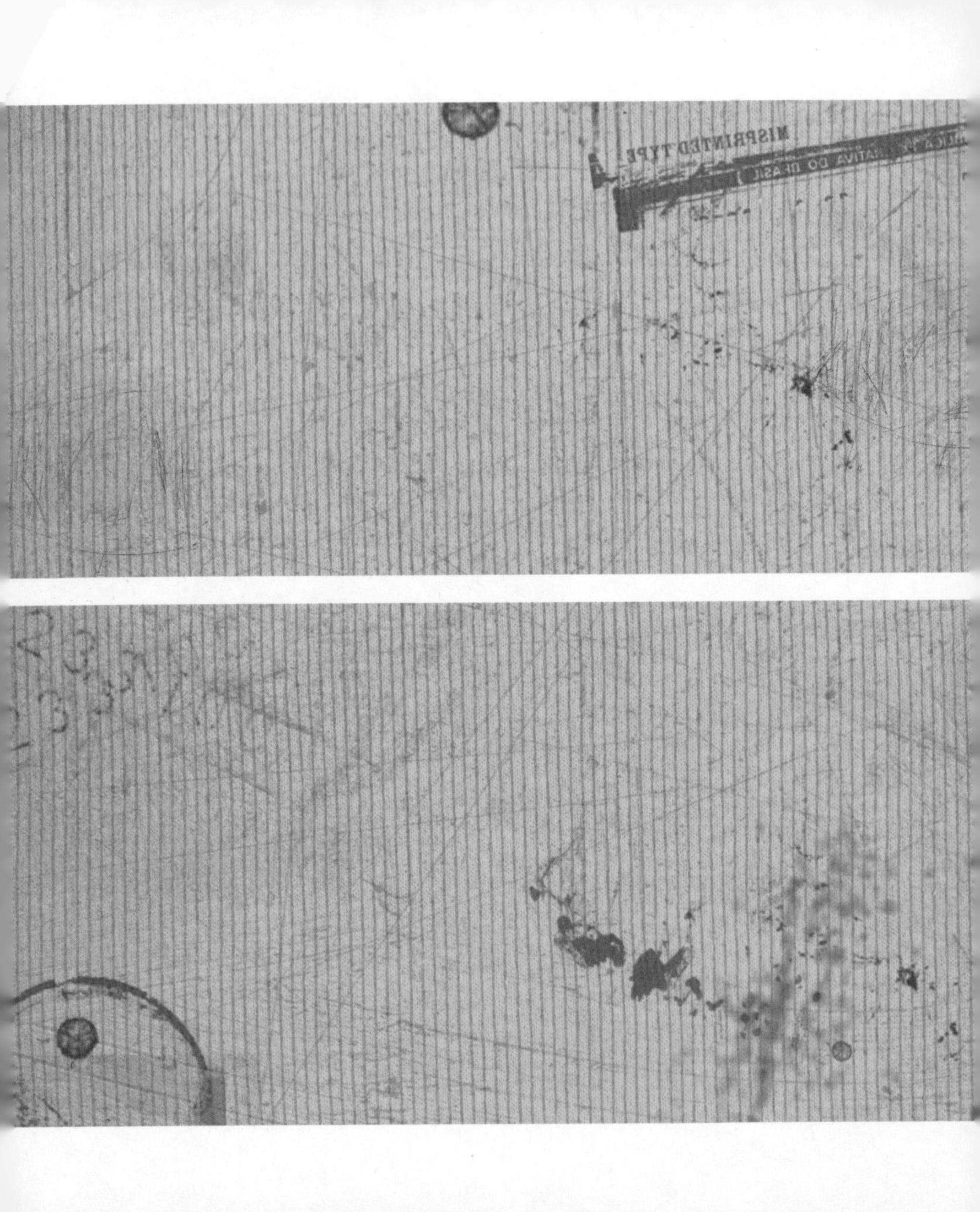
MISPRINTED TYPE

지역생태관

지역생태관

박제된 시간이 아니라
살아 숨쉬는 시공간이다

은신처이자
먹이인 수초 속에서 곁눈질을 하는 물고기들

– 황쏘가리, 어름치, 백조어, 묵납자루, 연준모치,
돌고기, 감돌고기, 모래무지, 납자루, 버들치,
큰납자리, 흰줄납줄개, 눈불개, 피라미, 갈겨니,
누치, 치리, 흰동가리, 쓰리스팟엔젤

백화현상의 주범인
황쏘가리

말미잘과 공생하며
암컷이 죽으면 수컷이 성전환을 하는
흰동가리

담수하천생태계

내 사랑 각시붕어는
지금 어디에서 무얼하고 있을까

사체도 잘 가꾸면 아름다운데
살아 움직이는 것들은 얼마나 아름다운가

억조창생의 생명체들이 똬리 튼 갯벌에
얼굴을 내민 망둥어, 꽃게, 바닷새
어디론가 떠나고 싶어도
철새들 때문에 자리를 뜨지 않는 갈대

지역생태관 내 터치풀

시간의 꼬리를 잘라내는 도마뱀,

시간의 머리를 감추는 자라가

수족관에 갇혀 있다

과거는 화려하고,

현재는 초라한가

미래는

불안한가

불편한 진실,

혼자 중얼거리며 계단을 내려간다

갯벌 디오라마

허리케인

자연사 박물관에 안치된 동물과 식물들이
자연사한 것이 아니라면?

1. 나비

안치 안전하게 잘 둠.

자연사(自然死) 늙어서 자연히 죽는 일.

자연사(自然史) 인류가 나타나기 이전의 자연의 발전이나 인간 이외의 자연계의 발전의 역사.

2. 중앙홀

무장 전쟁을 수행하는데 필요한 장비를 갖춤 또는 그 장비.

박제 동물의 가죽을 벗겨 썩지 아니하도록 한 후에 솜이나 대팻밥 따위를 넣어 살아 있을 때와 같은 모양으로 만드는 것.

굉음 매우 요란한 소리.

3. 지질관

고착 물건이 굳게 달라붙음.

남조류 단세포 생물로서 세균처럼 핵막은 없지만 세균보다 크기가 큼.

담합 미리 이야기하여 의견을 결정함.

대칭 광물 같은 결정체가 어떤 축을 중심으로 일정한 각도만큼 회전시켰을 때, 본래 모양과 꼭 같은 위치에 놓인 꼴이 되는 경우.

매장 땅 속에 묻혀 있음.

묵묵부답 입을 다문 채 대답을 하지 않음.

미아 길이나 집을 잃고 헤매는 아이.

변성암 온도, 압력, 역학적 응력의 변화와 화학성분의 가감에 따라 주변 여건이 변함으로써 기존 암석이 변질되어 생성된 암석.

분화 생물의 구조와 기능 따위가 특수화되는 작용이나 과정.

사육 동물에게 먹이를 먹여 기름.

오래된 미래 '헬레나 노르베르 호지'의 작품명(Ancient Futures)에서 인용.

용반목 도마뱀 허리뼈의 구조와 같은 공룡의 무리. 치골이 앞쪽으로 뻗어있어 좌골과 함께 삼각형의 구도를 가짐.

이궁형	공룡의 두개골에는 안와(눈구멍) 뒤쪽에 측두와라고 하는 구멍이 있음. 그 구멍의 수가 2개이기에 이궁형이라고 함.
절대연대	암석 속에 들어 있는 방사성 원소는 일정한 시간 동안에 일정한 비율로 줄어드는 성질이 있음. 방사성원소의 이런 성질을 이용하여 암석이 생성된 시기를 정확히 알 수 있는데, 이렇게 구한 암석의 생성연대를 절대연대라 함.
조반목	조류의 허리뼈 구조와 같은 공룡의 무리. 치골이 좌골과 나란히 뒤쪽을 향해 뻗어있음.
치환	바꾸어 놓음.
퇴적암	하천이나 해양의 퇴적물이 가라앉거나 굳어져 생성된 암석.
파장	음파의 마루에서 다음 마루까지 또는 골에서 다음 골까지의 거리.
화성암	땅 속에 녹아 있는 뜨거운 마그마가 식어 굳어져 생성된 암석.

4. 육상생명관 1

되새김질	한 번 삼킨 먹이를 다시 게워 내어 씹는 짓.
맹장	소장의 말단부에서 대장으로 이행하는 부위에 있는 소화관.
변태	탈바꿈.

본적	호적이 있는 지역.
성체	성장하여 생식 능력이 있는 동물 또는 그런 몸.
순막	일부 척추동물의 안구 앞면을 덮는 투명한 얇은 막.
신천옹(信天翁)	짧은 꼬리알바트로스를 말함.
야콥슨 기관	공기 중에 섞인 미량의 화학물질을 감지하는 일종의 후각기관.
오명	더러워진 이름이나 명예.
오스트랄로피테쿠스	남아프리카에서 발견됨. 약 150만 년에서 400만 년 전에 살던 것으로 추정. 직립하였지만 뇌의 용적이 현재 인류의 1/3 정도에 불과하였음.
온혈동물	변온동물(變溫動物)에 대응하는 말로 포유류와 조류가 이에 속함. 어떤 동물체라도 살아 있는 이상 몸에서 반드시 열을 발생함.
의태행위	동물이 자신을 보호하거나 먹이를 사냥하기 위해서 주위의 사물이나 다른 동물과 매우 비슷한 모양을 하고 있는 것을 말함.
일석이조	한꺼번에 두 가지 이득을 보는 것을 말함. 돌 한 개로 새 두 마리를 잡는다는 뜻.
장물	도둑질한 물건. 프로메테우스가 제우스가 감춘 불을 훔쳐 인간들에게 전함.
존속살인	자신이나 배우자의 직계 존속을 죽이는 일.
체내수정	교미에 의하여 정자가 암컷의 체내에 들어가 수정이 이루어짐.

초라니	하회 별신굿 탈놀이에 등장하는 인물. 양반의 하인으로 성격이 가볍고 방정맞음.
탁란	뻐꾸기 같은 새가 다른 새의 집에 알을 낳아 대신 품어 기르도록 하는 일.
펠릿	소화할 수 없는 물고기의 뼈 같은 것을 둥글게 해서 토해 내는 것.
포란	암컷 새가 부화하기 위하여 알을 품어 따뜻하게 하는 일.
표피	동물의 몸의 표면을 덮고 있는 피부의 상피 조직.
현주소	현재 살고 있는 곳의 주소.
호모사피엔스	생각하는 인간.
호모에렉투스	직립인간.
호모하빌리스	손을 이용하는 인간.
호버링	공중 머물기 또는 공중 비행.
호적	호주(戶主)를 중심으로 그 집에 소속된 사람의 본적지.

5. 육상생명관 2

거명	어떤 사람의 이름을 들먹임.
겉씨식물	밑씨가 겉으로 드러나 있는 식물로 나자식물이라고도 불림.

고시류	곤충이 날개를 뒤로 접어서 몸 옆구리에 붙일 수 없는 종.
꿀벌의 춤	꿀벌은 먹이를 발견하면 동료들에게 먹이가 있는 위치를 춤을 춰 알려줌. 먹이가 가까운 곳에 있을 때는 원형춤을, 먼 곳에 있으면 8자춤을 춤.
내시류	곤충이 완전변태를 하는 종.
누드	벌거벗은 몸.
대악류	머리, 가슴, 배의 3부위로 나뉘고 머리에는 1~2 쌍의 더듬이, 3~4쌍의 입 부속기관을 가지고 있음.
두 얼굴의 오존	대기의 성층권에서 두꺼운 층을 이루는 오존은 3개의 산소 원자로 이루어진 기체. 상공의 오존층은 해로운 자외선을 차단하여 지상의 생물을 보호함. 독성을 가진 지상의 오존은 공해 물질임. 공기 중에 양이 많아지면 호흡 곤란을 일으키며 목과 눈을 자극함.
두흉부	머리와 가슴 부분. 머리와 가슴 부분이 들러붙어 하나로 된 부분.
막시류	모든 벌, 말벌, 개미를 포함하는 곤충의 목
명수	아주 솜씨가 뛰어남.
무변태	탈피가 계속되지만 외형의 별 변화 없이 성장을 지속함.
무시류	곤충이 날개가 없는 종.
미궁	한번 들어가면 빠져나올 길을 찾을 수 없는 곳.
반배수성	개미나 벌 따위의 막시류 곤충에게 나타나는 성 결정 방식. 미

수정란은 1배체인 수컷이 되고, 수정란은 2배체인 암컷이 됨.

부화 동물의 알이 깜, 알까기.

불완전변태 알에서 부화한 애벌레가 성충의 모습과 별 차이를 보이지 않으며 탈피를 계속하다 성충이 됨.

산포 흩어져 퍼짐.

삼엽충류 머리, 가슴, 꼬리 3부위로 되어 있으며 대부분 강이나 바다의 바닥에서 살며 몸이 납작하고 등에 눈이 나 있음.

선태식물 이끼식물이라고도 불림. 분류학상으로 양치식물에 가깝지만, 특별한 통도 조직은 발달해 있지 않음. 엽록체가 있어 독립영양생활을 함.

속씨식물 밑씨가 씨방 속에 들어있는 식물로 피자식물이라고도 불림.

애처가 아내를 각별히 사랑하는 사람.

양치식물 꽃이 피지 않으며 포자라는 세포로 번식을 함.

완전변태 알, 애벌레 그리고 번데기를 거쳐 성충이 됨.

외시류 날개를 뒤로 접어서 옆구리에 붙일 수 있는 종.

우화 번데기가 날개 있는 성충으로 변하는 일.

유용식물 인간 생활에 유용하게 쓰이는 식물을 통틀어 이르는 말.

이타 자기를 희생하여 남을 이롭게 함.

작명 이름을 지음.

증산 증발하여 흩어짐.

차가운 추상 선과 면의 기하학적 요소로 면의 분할, 색채의 조화를 표현하여 주지적이고 차가운 느낌으로 절제된 화면을 구성하는 그림.

탈피 성장함에 따라 오래된 허물을 벗는 일.

퇴화 생물체의 어떤 기관이, 오래 쓰이지 않음으로써 점차 작아지거나 기능을 잃게 되어 쇠퇴해 감.

포자 홀씨.

합성 둘 이상이 합하여 하나가 되거나 하나를 만듦.

해부학 생물체를 해부하여 그 구조를 연구하는 학문.

협각류 머리가슴과 배 2부분으로 되어 있으며 두흉부에는 더듬이가 없고 6쌍의 부속기관이 있음.

6. 수중생명관

갈조류 다세포 생물로 바다 밑 바위 등에 붙어서 생활함. 미역이나 다시마 등이 해당됨.

경골어류 아가미가 아가미 덮개에 덮여 있으며 단단한 뼈에 부레를 지닌 어류로써 돌돔이 해당됨.

극피동물 몸 표면에 가시가 있음.

녹조류 파래나 청각처럼 바다에 사는 것도 있으나 대부분 민물에 생활함. 포자와 유주자에 의한 무성생식과 유성생식을 교대로 함.

무악어류	턱이 없는 어류로써 먹장어나 칠성장어가 해당됨.
무임승차객	요금을 내지 않고 차에 오른 손님.
무척추	등뼈가 없음.
백경	흰 고래.
선형동물	몸이 실처럼 생겼으며 몸의 마디가 없는 무척추 동물임.
연골어류	부레와 아가미 덮개가 없는 내부 골격이 부드러운 뼈로 이루어진 어류로써 홍어, 가오리, 상어가 해당됨
연체동물	부드러운 몸을 가지며 마디가 있는 부속지가 없음.
완족동물	해양 무척추동물로 2장의 패각으로 덮여 있음. 패각들은 크기가 다르며 좌우대칭임.
유영	물속에서 헤엄치며 노는 것.
의충동물	소시지 모양의 무척추동물로 바다의 모래나 진흙 속에 구멍을 파고 살거나 조개껍데기 속에 생활함.
자포동물	강장과 입 주위에 많은 자세포를 가진 촉수가 달려 있음.
장검	긴 칼.
적의	해치려는 마음.
절지동물	몸에 크기가 다른 마디가 있음.
판피어류	피부 골격으로 된 이들의 갑주(甲冑)는 머리 피부판과 몸통 피부판을 형성하였음. 데본기 내내 존속했는데 화석으로만 알려짐.
편형동물	몸이 납작하고 고리 마디가 없으며 대개 항문이 없고 암수 한 몸임.

해면동물 몸은 부드럽고 골편이나 섬유 따위로 이루어져 있음.

해조(海藻) 바다에서 나는 조류(藻類)를 통틀어 이르는 말. 자라는 바다의 깊이와 빛깔에 따라 녹조류, 갈조류, 홍조류로 나뉨.

홍조류 심해에 사는 홍색을 띠는 다세포 조류. 해인초나 우뭇가사리 등이 해당됨.

환형동물 몸은 원통처럼 가늘고 길며, 마디마디 다리가 있기도 함.

7. 지역생태관

백화현상 일반적으로 쏘가리는 흑갈색 반문을 갖는 표범 무늬를 지니고 있으나 황쏘가리와 같이 황색을 나타내고 있는 것은 DNA 돌연변이의 한 형태임. 이와 같은 돌연변이를 일명 백화현상이라고 함.

불편한 진실 엘 고어의 저서의 제목(Inconvenient Truth).

성전환 암수딴몸인 생물에서, 암수의 성이 반대의 성(性)으로 바뀌는 현상.

억조창생 수많은 생명체.

8.허리케인

나비효과

나비의 날갯짓처럼 작은 변화가 폭풍우와 같은 커다란 변화를 유발시키는 현상을 말함. 나비효과는 초기 조건의 값의 미세한 차이가 엄청나게 증폭되어 판이한 결과가 나타난 것을 발견하면서 알려짐. 혼돈 속에 질서가 내재되어 있다는 나비효과가 확인됨에 따라 카오스 이론이 등장함.

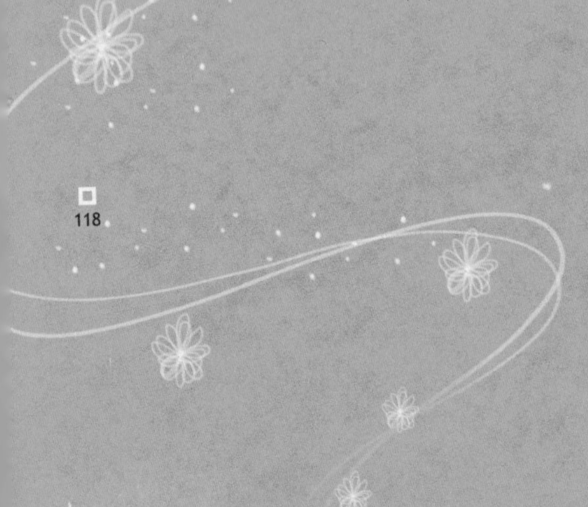

목포자연사박물관

초판1쇄 찍은 날 | 2008년 4월 21일
초판1쇄 펴낸 날 | 2008년 4월 24일

지은이 | 김재석
펴낸이 | 송광룡
펴낸곳 | 문학들
등록 | 2005년 8월 24일 제2005 1-2호
주소 | 503-821 광주광역시 남구 양림동 24-18번지 2층
전화 | 062-651-6968
팩스 | 062-651-9690
전자우편 | munhakdle@hanmail.net

ISBN 978-89-92680-13-4 03810

· 이 책은 전라남도 문예진흥기금을 일부 지원받아 제작되었습니다.
· 이 책에 실린 사진은 목포자연사박물관이 제공하였습니다.

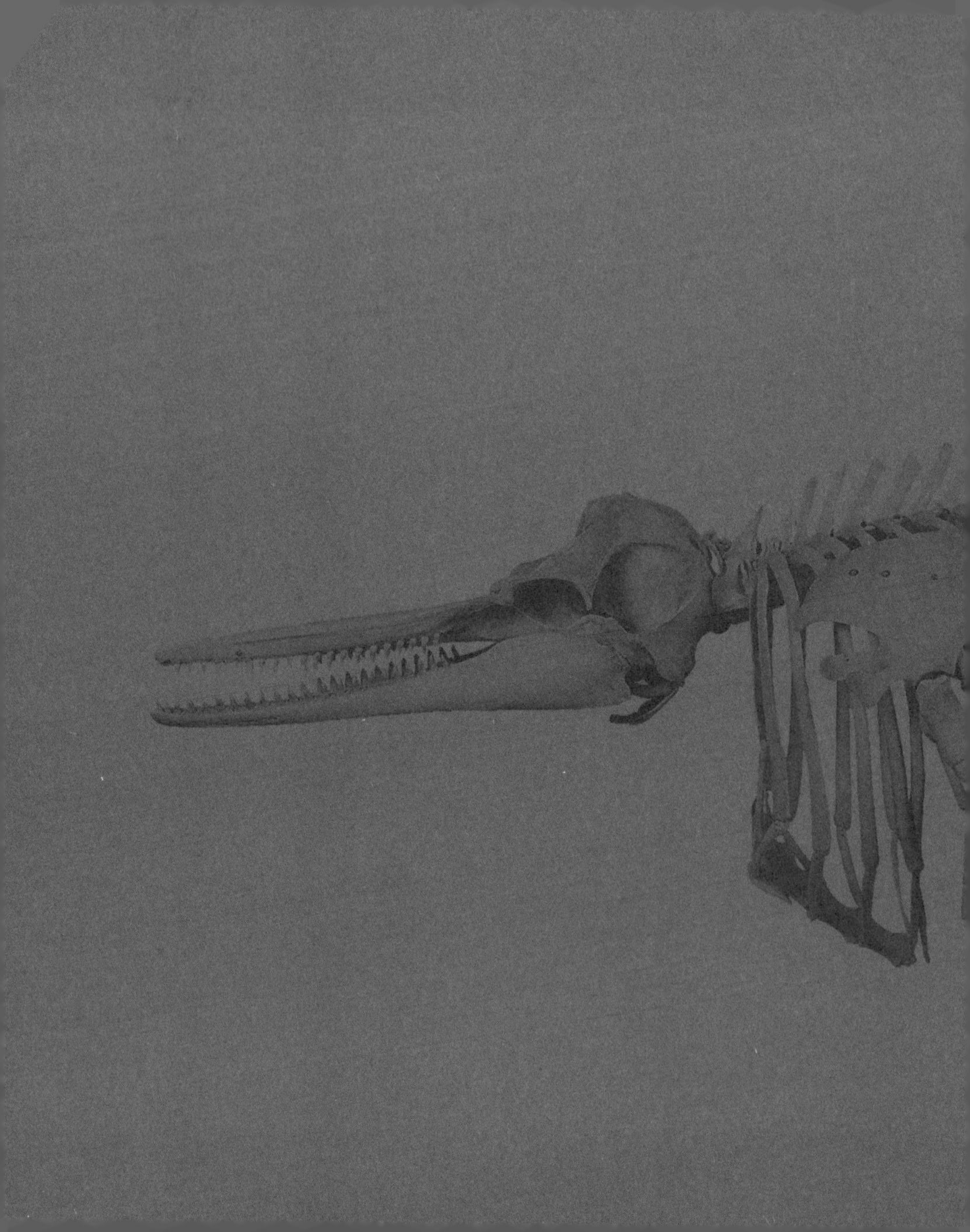

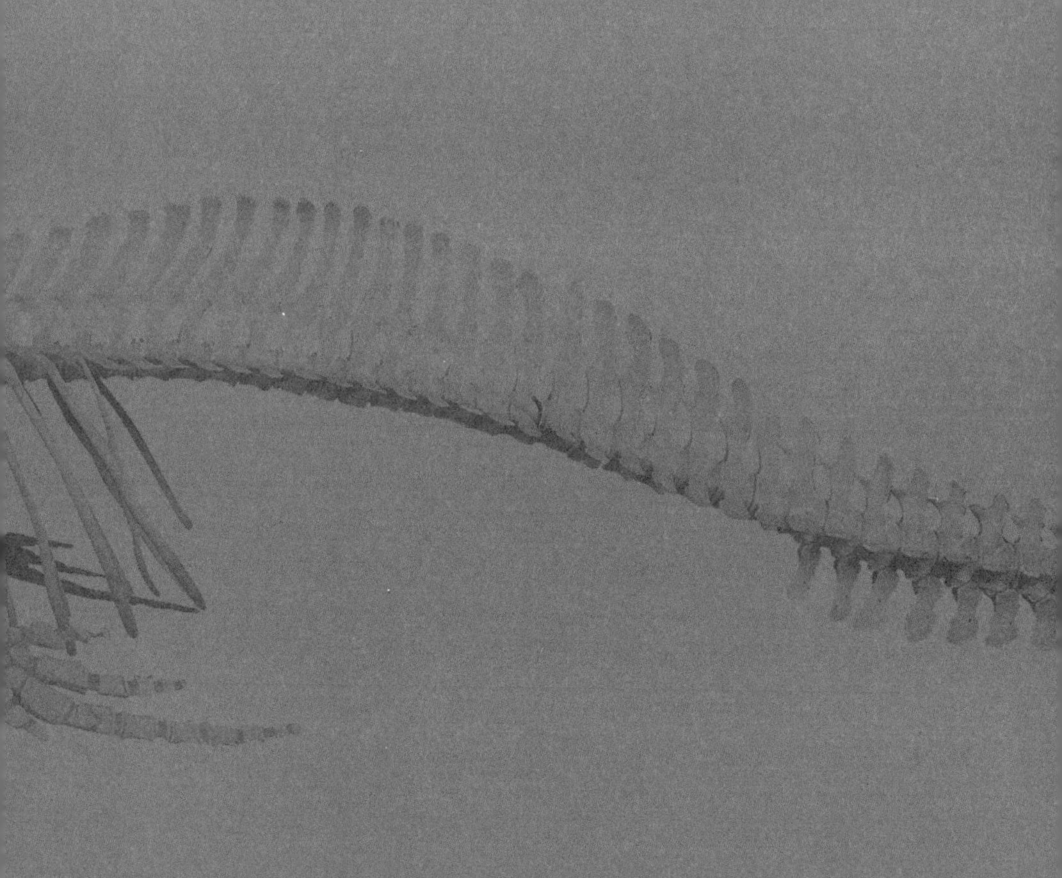

밍크고래 전신골격